CO-ATL-029
a bit of
Italy to sha
with you.
Love,
September
2010

assaggi

Dedicato a:

marchio di Food srl
Via Mazzini, 6 - 43121 Parma
www.gruppofood.com

ISBN (10) 88-6154-026-0
ISBN (13) 978-88-6154-026-2 III^a ristampa

Le citazioni di Salvo Foti, Gualtiero Marchesi, Renato Mereu, del Marchese Incisa della Rocchetta, di Giuseppe Quntarelli e di Stanko Radikon sono tratte dal libro "Grandi Vini di Piccole Cantine", Food Editore, 2007.

Sommario

La poesia della terra

Il vino è stato definito "la poesia della terra", e difficilmente si potrebbe trovare un modo migliore per definire questa sorta di *leitmotiv* della cultura dell'uomo. Dalla Bibbia ai giorni nostri, il vino è una presenza continua, forte e ambigua: per il poeta Charles Baudelaire, il vino mescola bellezza e delitto, e non a caso un antico proverbio popolare racconta che il vino deve essere un "buon servo" (lasciando così sottintendere che se il vino diventa il "padrone

di casa"... sono dolori). E così non soltanto addetti ai lavori, ma anche artisti, poeti, musicisti e intellettuali ne hanno parlato nel corso dei secoli: spesso in tono scanzonato e ironico, ma anche in modo quasi dolente e drammatico.

Insieme a qualche ricetta in cui il vino è protagonista, abbiamo voluto raccogliere in questo libretto curiosità, aneddoti e alcuni fra questi pensieri che l'uomo ha dedicato al vino, nella speranza di farvi riflettere ma, soprattutto, di farvi sorridere.

Il vino

In vino veritas

Gualtiero Marchesi • *chef*

"Quando si vuole bere un vino
è sufficiente il piacere fisico, mentre
per degustarlo sono necessarie
intelligenza, sensibilità e competenza"

carpaccio di scampi al Franciacorta

Per il carpaccio: 12 scampi grandi • **4** cucchiai di olio d'oliva ev delicato
1 bicchiere di Metodo Classico Franciacorta • **1** pezzetto di citronella o erba limoncina • **6** grani di pepe nero • aneto, maggiorana, cerfoglio, dragoncello • sale e pepe

Tagliate a pezzi l'erba limoncina e mettetela in una casseruola con poco olio e le teste degli scampi. Fate rosolare e sfumate con il vino. Unite il pepe e fate ridurre a 1/3. Filtrate e aggiustate di sale e pepe facendo raffreddare. Sgusciate gli scampi ed estraete il filo nero del dorso. Tagliateli finemente insaporendo con le erbe sminuzzate, condite con olio e sale e disponete nei piatti. Distribuite sul carpaccio la salsa al Franciacorta e servite.

10 minuti *10 minuti* *facile* *Metodo Classico Franciacorta Satén*

Particolare di un vigneto in Sardegna

L'amore inespresso
è come il vino
tenuto nella bottiglia:
non placa la sete

George Herbert (1593-1633) • poeta

capesante al burro salato e Gewürztraminer

Per le capesante:
- **8** capesante grandi con guscio
- **2** fette di pane casereccio
- **1** cucchiaio di olio d'oliva ev
- **1** scalogno grande
- **60 g** di burro salato
- **1/2** bicchiere di Traminer aromatico
- sale e pepe

capesante al burro salato e Gewürztraminer

Aprite le conchiglie e staccate i molluschi privandoli del filo nero e lavandoli bene. Lavate anche la parte concava del guscio e asciugatela. Tagliate a lamelle lo scalogno e fate stufare in un pentolino con poco burro; sfumate con acqua poco a poco fino a renderlo morbido. Scaldate una padella antiaderente con il burro e saltatevi brevemente le capesante con il Traminer.
Scolate le capesante sul tagliere e tagliatele a dadini. Amalgamate lo scalogno stufato e tritato al coltello, salate, pepate e distribuite il composto nei gusci. Tagliate il pane a dadini, tostatelo in padella con l'olio e appena sarà croccante tritatelo finemente al coltello. Cospargete il pane tritato sulle capesante e gratinatele sotto il grill per 3 minuti; servite subito.

Marchese Incisa della Rocchetta
viticoltore

"Un grande vino deve avere lo stile, l'eleganza, il potenziale d'invecchiamento. La continuità nel corso degli anni nell'esaltare queste qualità"

mazzancolle al mirto

Per le mazzancolle: **16** mazzancolle medie • **1** cucchiaio di liquore di mirto **1** rametto di mirto • **100 ml** di Vermentino di Gallura • **2** cucchiai di olio d'oliva ev delicato • **1** cucchiaio di farina di riso • **1** spicchio d'aglio • sale e pepe

Staccate le teste e sgusciate le mazzancolle, eliminate il filamento nero sul dorso utilizzando uno stuzzicadenti.
Scaldate una padella antiaderente con l'olio, unite l'aglio schiacciato e il rametto di mirto, versate subito il liquore e fatelo sfumare a fiamma alta. Passate i crostacei in pochissima farina di riso e metteteli in cottura. Sfumate con il vino e aggiustate di sale e pepe. Fate ridurre e servite subito le mazzancolle.

Brinda a me solo
con gli occhi...
o solo lascia un bacio
nella coppa,
e non chiederò vino

Ben Jonson (1572-1637)
drammaturgo, attore e poeta

antipasto di fagioli all'astigiana

Per l'antipasto:

- **1/2 kg** di borlotti freschi sgranati
- **100 g** di lardo di prosciutto crudo
- **2** spicchi d'aglio
- **2** foglie d'alloro
- **1** cucchiaio di farina bianca "00"
- **1/2 l** di Barbera
- **3-4** foglie di salvia
- brodo vegetale
- prezzemolo
- timo
- sale e pepe

antipasto di fagioli all'astigiana

Cuocete i fagioli (precedentemente sgusciati) per 30 minuti circa in abbondante acqua salata. Nel frattempo lavate, asciugate e tritate salvia, timo e prezzemolo con l'aglio e il lardo, mescolando bene il tutto in un unico trito. Una volta pronti, scolate i fagioli e uniteli al trito in un tegame, aggiungete l'alloro e fate rosolare il tutto. Spargetevi sopra la farina e versate il Barbera fino a coprirli, aggiungendo anche un mestolo di brodo vegetale per completare. Aggiustate di sapore.

Fate cuocere coperto fino a intenerire i fagioli e finché la salsa non si sarà sufficientemente ristretta.

Servite l'antipasto caldo, cospargendo con prezzemolo tritato fresco.

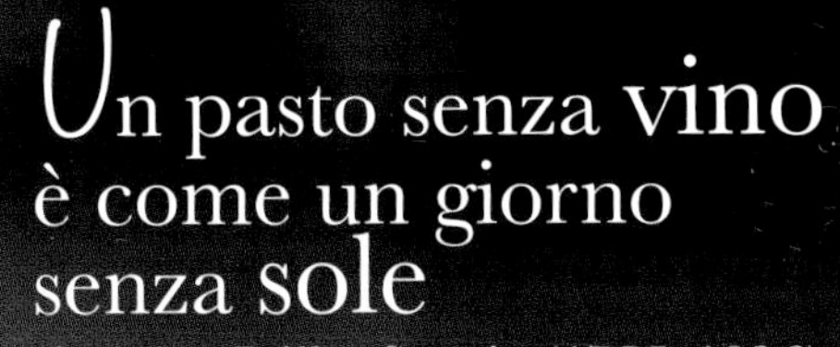

Un pasto senza vino
è come un giorno
senza sole

Anthelme Brillat-Savarin (1755-1826)
gastronomo e politico

maltagliati al fagiano e Vernaccia

Per la pasta:
- **300 g** di farina bianca "00"
- **2** uova, **3** tuorli, sale

Per il condimento:
- **1/2** fagiano
- **1** bicchiere di Vernaccia
- **200 g** di trito di sedano, carota e cipolla
- **3** cucchiai di olio d'oliva ev
- **100 g** di polpa di pomodoro
- **1** cucchiaio d'uvetta
- **2** cucchiai di pinoli
- **100 ml** di brodo di pollo
- **1** rametto di rosmarino
- sale e pepe

maltagliati al fagiano e Vernaccia

Tagliate il fagiano a pezzi. Rosolate gli odori in casseruola con l'olio e il rosmarino e unite il fagiano, i pinoli tostati e l'uvetta ammollata. Sfumate con il vino e lasciate evaporare. Appena sarà a 3/4 della cottura scolatelo e fatelo raffreddare, spolpatelo e tritate grossolanamente al coltello. Riunite al fondo con il pomodoro e il brodo. Salate e pepate e fate restringere a fiamma bassa.

Intanto impastate gli ingredienti per la sfoglia e lasciate riposare 20 minuti in frigorifero (potete prepararla anche il giorno precedente). Tiratela alla macchina sfogliatrice e ritagliate poi in maniera irregolare o a strisce di 1 cm. Bollite i maltagliati in una casseruola con abbondante acqua salata scolandoli direttamente in casseruola con la salsa. Amalgamate e servite subito.

Una curiosità

I fagiani, oggi, sono spesso e volentieri d'allevamento; questi vanno frollati, prima della preparazione, per non più di 24 ore in frigorifero. Nel caso aveste invece la fortuna di impiegare un fagiano selvatico, potete lasciarlo frollare per 2-3 giorni sventrato e pulito al fresco.

spaghetti al Chianti

Per gli spaghetti: 320 g di spaghetti •**1** bicchiere di Chianti Classico
1 pezzetto di porro • **1** noce di burro • **1** cucchiaio di zucchero
50 g di pecorino dolce stagionato • sale e pepe

Tritate il porro e fatelo stufare in una casseruola con il burro a fiamma bassa, unendo spesso poca acqua per ammorbidire. Versate poi il vino e fate ridurre per circa 15 minuti con lo zucchero, in modo da ottenere una salsa. Aggiustate di sapore e tenete a parte. Bollite gli spaghetti in acqua salata, scolateli e fate dei nidi aiutandovi con un coppino e una forchetta e disponete nei piatti. Completate con la salsa al Chianti, il formaggio tagliato a scaglie e poco porro tagliato a julienne e sbollentato.

15 minuti *25 minuti* *facile* *Chianti Classico*

Chi beve solo acqua
ha un segreto da nascondere

Charles Baudelaire (1821-1867) • poeta

"Romanée Conti: non tutti conoscono il nome di uno dei più grandi vini del mondo, prodotto in soli due ettari di vigneto in Borgogna. A seconda delle annate, questo eccezionale vino costa dalle 1800 alle 3800 euro (circa) a bottiglia. "

paccheri al ragù di fagianella e Vernaccia

Per i paccheri:
- **400 g** di paccheri di Gragnano
- **1** fagianella
- **70 g** di macinato di maiale
- **150 g** di trito di sedano, carota e cipolla
- **1** bicchiere di Vernaccia
- **3** cucchiai di olio d'oliva ev
- **1** spicchio d'aglio
- **2** cucchiai di polpa di pomodoro
- **1/2** cucchiaino di concentrato di pomodoro
- **100 ml** di brodo di carne
- **3** foglie di salvia, sale e pepe

paccheri al ragù di fagianella e Vernaccia

Spezzate in più parti la fagianella dopo averla sviscerata e fiammeggiata. Rosolate a fiamma bassa il trito di odori in casseruola con l'olio, l'aglio intero schiacciato e la salvia sminuzzata. Unite la carne di maiale e poco dopo la fagianella. Sfumate con il vino e fate cuocere a fiamma vivace per 10 minuti circa salando e pepando. Aggiungete poi la polpa di pomodoro pelato schiacciata e il concentrato stemperato in poco brodo.
Scolate la fagianella, lasciatela raffreddare e spolpatela con le mani e tagliate poi la polpa al coltello. Riunite la carne al proprio fondo, bagnate con il brodo, aggiustate di sapore e fate addensare il ragù a fiamma bassa. Bollite i paccheri in acqua salata e scolateli in casseruola con il ragù; amalgamate e servite.

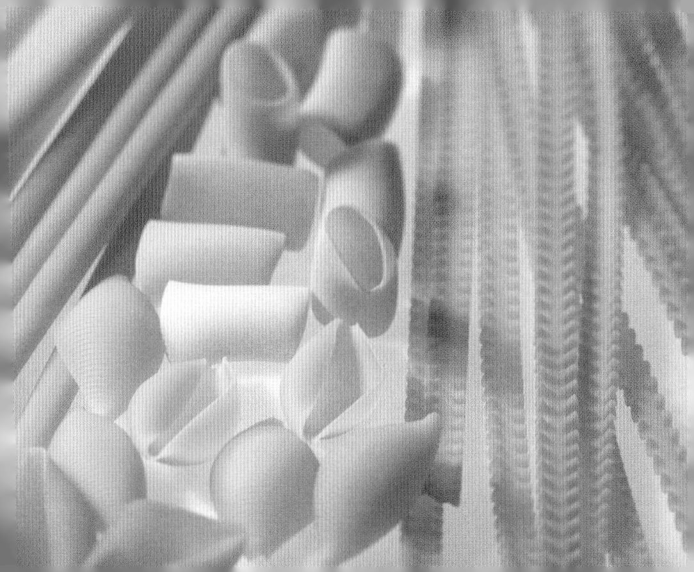

Vigneto Ronco delle Mele di Venica & Venica

tagliolini con capesante e Pinot

Per i tagliolini: 400 g di tagliolini • **250 g** di capesante • **150 g** di punte di asparagi • **4** zucchine in fiore • **1** scalogno • **20 g** di burro • **1** grattata di zenzero • **6** cucchiai di olio d'oliva ev • **100 ml** di Pinot Bianco • sale

Stufate 1/2 scalogno tritato in una padella con l'olio; unite le capesante a dadini e sfumate con il vino. Trasferite il composto in un recipiente e tenete in caldo. Nella stessa padella soffriggete l'altro 1/2 scalogno nel burro, unite gli asparagi e le zucchine a julienne; coprite e cuocete per 10 minuti aggiungendo poca acqua calda. Quasi a fine cottura unite i fiori delle zucchine tagliati. Unite i 2 composti, salate, spolverizzate con lo zenzero grattugiato. Cuocete i tagliolini, saltateli in padella con la salsa e servite.

20 minuti *20 minuti* *facile* *Alto Adige Pinot Bianco*

Stanko Radikon
viticoltore

"Il vino esiste da
molto prima dei filtri,
dei lieviti selezionati o
dell'anidride solforosa"

Una donna mi ha portato
sulla strada del bere
e non ho nemmeno avuto
la cortesia di ringraziarla

W.C. Fields (1880-1946) • comico

risotto d'inverno con carciofi

Per il risotto: 320 g di riso Carnaroli superfino • **1/2** bicchiere di olio d'oliva ev • **4** carciofi • **2** cipolle • **2** spicchi d'aglio • **3** acciughe dissalate **1/2** bicchiere di vino bianco • **2 l** di brodo vegetale • **1** limone • parmigiano

Pulite i carciofi, privandoli delle foglie esterne, della parte dura e delle punte. Tagliateli a fettine e immergeteli in acqua con succo di limone. Tritate le cipolle, l'aglio e le acciughe già pulite. In una casseruola scaldate l'olio e appassitevi la cipolla e l'aglio tritati, unite le acciughe e i carciofi scolati. Cuocete per 5 minuti e versate il riso, lasciatelo tostare 1 minuto e sfumate con il 1/2 bicchiere di vino, mescolate e unite a poco a poco il brodo vegetale. Cuocete il riso, mantecate con parmigiano e servite.

15 minuti *30 minuti* *facile* *Grignolino d'Asti*

Io bevo
per la sete che avrò
François Rabelais (1483-1553)
scrittore e umanista

paniscia di Novara

Per la paniscia:
- **360 g** di riso Carnaroli
- **50 g** burro
- **50 g** di lardo
- **70 g** di cotenne di maiale
- **1** salame
- **200 g** di fagioli borlotti
- **1** cipolla
- **1/2** cavolo verza
- **1** carota
- **1** costa di sedano
- **1** cucchiaino di salsa di pomodoro
- **1** bicchiere di vino rosso
- pepe

paniscia di Novara

Lavate accuratamente e tagliate a piccoli pezzi il cavolo, la carota e il sedano. In una casseruola ampia lessate le verdure in abbondante acqua salata insieme ai fagioli per circa 3 ore. Tagliate a fettine sottili la cipolla. Nel frattempo in una pentola preparate un fondo per il risotto con il lardo precedentemente tritato, le cotenne, la cipolla a fettine, metà del burro e il salame a pezzetti.
Cuocete per alcuni minuti, versate il riso e tostatelo per 1 minuto mescolando. Sfumate con il vino rosso e quando sarà evaporato versate poco a poco mestoli del brodo ottenuto insieme alle sue verdure. Portate a cottura il riso e mantecatelo con il burro rimanente. Completate il piatto con una spolverata di pepe.

Una curiosità

Per questa ricetta tipica la tradizione detta due “regole”. La prima è che la paniscia non dovrebbe essere mai arricchita di parmigiano grattugiato, la seconda è che il salame deve essere rigorosamente quello tipico piemontese: il salame d’la duja.

Particolare del vigneto
in Monte delle Vigne
(Ozzatno Taro, Pr)

Salvo Foti • *viticoltore*

"Ogni vino è un libro che va letto con
attenzione, di cui dobbiamo conoscere l'autore,
l'ambientazione e quando è stato scritto.
Da esso apprenderemo una storia ogni volta
diversa e sempre riconducibile a un territorio,
a dei vitigni e alla cultura degli uomini
che lo hanno prodotto"

risotto alla valdostana

Per il risotto: 300 g di riso Carnaroli • **1/2** cipolla • **30 g** di burro
150 g di fontina • **1 l** di brodo di carne • **1** bicchiere di vino bianco

Sciogliete il burro in una casseruola, unite la cipolla tritata finemente e lasciate rosolare. Aggiungete il riso, tostatelo e, dopo poco, sfumate con il vino bianco.
Evaporato il vino cominciate ad aggiungere il brodo poco alla volta; dopo circa 15 minuti mantecate il riso con la fontina precedentemente tagliata a dadini, a fuoco bassissimo fino al totale assorbimento del formaggio. Servite in tavola ben caldo.

riso nero

Per il riso:

- **400 g** di riso
- **600 g** di seppie di scoglio
- **2** spicchi d'aglio
- **1** peperoncino rosso
- **2** cucchiai di passata di pomodoro
- **1** mestolo di brodo di pesce o acqua calda
- **1** bicchiere di vino bianco
- olio d'oliva ev, sale

Per decorare:

- **1** pomodoro

riso nero

Pulite le seppie togliendo le vesciche con il nero. Lavate le seppie e tagliatele a pezzetti. Scaldate 3 cucchiai di olio d'oliva in un tegame dai bordi alti, aggiungete il peperoncino e gli spicchi d'aglio schiacciati. Appena l'aglio comincia a colorirsi unite le seppie e aggiustate di sale. Quando le seppie prenderanno colore aggiungete il riso, lasciatelo rosolare mescolando e sfumate con il vino bianco. Continuate a mescolare e, quando sarà asciugato, unite anche 1 mestolo di brodo. Estraete dalle vesciche il nero di seppia e aggiungetelo al riso continuando a mescolare. Dopo poco unite anche la passata di pomodoro e portate a fine cottura (se necessario aggiungete poca acqua). Servite il riso nero caldo e, a piacere, spolverizzate con del parmigiano grattugiato. Decorate con una dadolata di pomodoro.

Omero • *poeta*

"Vino pazzo che
suole spingere anche
l'uomo molto saggio a
intonare una canzone,
e a ridere di gusto,
e lo manda su
a danzare, e lascia
sfuggire qualche parola
che era meglio tacere"

risotto con ostriche e Champagne

Per il risotto: 300 g di riso Vialone Nano • **8** ostriche • **1/2** cipolla bianca
1 bicchiere di Champagne • **1** arancia non trattata • **100 g** di ricotta di pecora
1 rametto di timo limonato • **1,5 l** d'acqua • **1** noce di burro • sale e pepe bianco

Stufate la cipolla con il burro, sfumando con poca acqua. Unite il riso, alzate la fiamma e tostatelo. Sfumate con lo Champagne e bagnate con acqua bollente. Sgusciate le ostriche raccogliendo il liquido interno, che verserete sul riso. Grattugiate poca scorza d'arancia, pelate il frutto e ricavate gli spicchi senza pellicine. Mantecate il risotto a fine cottura con la scorza d'arancia e il timo sfogliato; salate e servite con una quenelle di ricotta lavorata a crema, l'arancia e le ostriche, che si scotteranno con il calore.

20 minuti *15 minuti* *facile* *Champagne Blanc de Blanc*

Vino e musica
furono sempre per me
il miglior cavatappi

Anton Cechov (1860-1904)
scrittore e drammaturgo

Il vino è per l'anima ciò che l'acqua è per il corpo

Mario Soldati (1906-1999)
scrittore, regista
e sceneggiatore

risotto all'Amarone piastrato con quaglia

Per il risotto:
- **250 g** di riso Carnaroli
- **2** bicchieri di Amarone della Valpolicella
- **50 g** di burro
- **1 l** di brodo vegetale
- **1/2** cipolla bionda
- **4** quagliette
- **1** rametto di rosmarino
- **2** spicchi d'aglio
- **3** cucchiai di olio d'oliva ev
- **3** foglie di salvia, sale e pepe

risotto all'Amarone piastrato con quaglia

Tritate la cipolla e stufatela in casseruola a fiamma bassa, senza farla colorire (aggiungete poca acqua se necessario). Unite il riso, alzate la fiamma e tostate. Sfumate con 2/3 del vino e fate evaporare. Cominciate a bagnare con il brodo bollente poco a poco quando tende ad asciugare. Mantecate il riso al dente con il burro e versatelo in 4 stampini rotondi livellando con un cucchiaio. Lasciate raffreddare a parte. Scaldate una casseruola con l'olio e l'aglio in camicia, unite la salvia, il rosmarino e rosolatevi le quaglie intere. Appena dorate, sfumate con il vino rimasto cuocendole per 10 minuti, salando e pepando. Piastrate il riso in una padella antiaderente appena unta d'olio, formando una crosticina croccante all'esterno. Scaloppate le quaglie disponendole sul riso e unite il loro fondo di cottura.

Per fare un amico
basta un bicchiere,
per mantenerlo
non basta una botte
proverbio toscano

Francesco Guccini • *cantautore*

"...Ma se io avessi previsto tutto questo
dati causa e pretesto, forse farei lo stesso.
Mi piace far canzoni, bere vino, mi piace
far casino e poi son nato fesso..."

coniglio in porchetta

Per il coniglio:
- **1** coniglio intero (circa 1,2 kg)
- **50 g** di prosciutto crudo
- **40 g** di pancetta affumicata
- **1** ciuffo di finocchietto selvatico fresco
- **3** spicchi d'aglio
- **1/2 l** di Tocai Friulano
- **3** cucchiai di olio d'oliva ev
- **2** foglie d'alloro
- **1** rametto di rosmarino
- sale e pepe

coniglio in porchetta

Pulite il coniglio tenendo da parte il fegato, lavatelo, asciugatelo e strofinatelo con aglio, sale e pepe. Marinate in 300 ml di vino bianco con alloro e rosmarino. In un pentolino mettete la parte verde del finocchietto con 1 spicchio d'aglio, 1/2 litro d'acqua e cuocete per 20 minuti a fuoco moderato. Togliete l'aglio, scolate il finocchio (conservando l'acqua di cottura) e tritatelo. Tritate il prosciutto crudo, la pancetta, il fegato e soffriggete con 2 cucchiai d'olio e 1 spicchio d'aglio tritato. Aggiungete il finocchio e lasciate insaporire per 5 minuti, salate e pepate. Riempite con il composto il coniglio e cucitelo. Ungetelo d'olio, ponetelo in una teglia e cuocete a 170°C per 30 minuti, bagnando con il vino bianco. Fate evaporare e cuocete per altri 40 minuti circa bagnandolo con il liquido di cottura del finocchio e rigirandolo ogni tanto.

Una curiosità

Il coniglio "in porchetta" viene chiamato così per la sua preparazione. Il coniglio viene infatti farcito con un trito di prosciutto crudo e pancetta. Il finocchietto e le altre erbe servono invece per conferire un tocco di freschezza a una ricetta non proprio "dietetica".

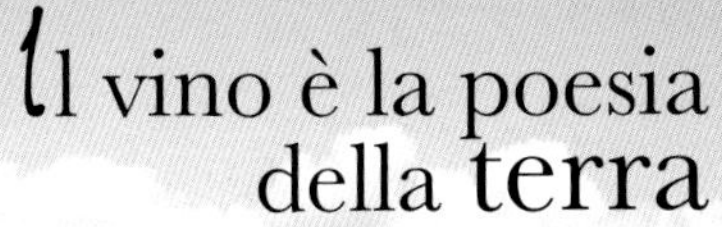
Il vino è la poesia
della terra
Mario Soldati (1906-1999)
scrittore, regista e sceneggiatore

Il vino è una specie
di riso interiore
che per un istante
rende bello il volto
dei nostri pensieri

Henri De Regnier (1864-1936)
scrittore e poeta

fegatelli di maiale

Per i fegatelli: **400 g** di rete di maiale • **650 g** di fegato di maiale
6 cucchiai di olio d'oliva ev • **125 ml** di vino rosso • **3** spicchi d'aglio
finocchietto selvatico • semi di finocchio • foglie d'alloro • sale e pepe

Sciacquate la rete di maiale e lasciatela in ammollo in acqua tiepida per 5-10 minuti. Pelate l'aglio e tritatelo con un pizzico di semi di finocchio. Salate e pepate. Sciacquate il fegato e tagliatelo a tocchetti. Passate i tocchetti nel trito d'aglio e avvolgeteli singolarmente con un pezzo di rete di maiale. Fissate la rete con un rametto di finocchietto selvatico. Fate rosolare i fegatelli con olio bollente, sfumate con il vino rosso e lasciate cuocere per 6-8 minuti a fiamma bassa. Serviteli ben caldi.

20 minuti *20 minuti* *facile* *Carmignano Rosso*
Ingredienti per 6 persone

coppa di maiale di cinta arrosto alle erbe

Per la coppa:

- **1 kg** di coppa cruda di maiale di cinta
- **150 g** di lardo di colonnata a fette fini
- **1** cipolla
- **2** carote
- **2** coste di sedano
- **2** bicchierini di vino bianco
- **200 ml** di brodo
- **1** rametto di rosmarino
- **5** foglie di salvia
- **2** rametti di timo
- **2** spicchi d'aglio
- **2** cucchiai di olio d'oliva ev
- sale e pepe

coppa di maiale di cinta arrosto alle erbe

Salate e pepate la carne. Tritate l'aglio e le erbe aromatiche (salvia, timo, rosmarino) al coltello, passatevi la carne per insaporirla. Ponete la carne in una teglia con l'olio e copritela con le fettine di lardo.
Pulite e tagliate grossolanamente le verdure e unitele a crudo nella teglia della carne. Infornate a 200°C per circa 50 minuti bagnando dopo pochi minuti con il vino e a metà cottura con il brodo, che servirà anche a deglassare il fondo per creare la salsa d'accompagnamento. Durante la cottura è consigliato spennellare o versare con un cucchiaio il liquido di cottura direttamente sull'arrosto per non farlo asciugare esternamente.
Servite la coppa tagliata a fette con il proprio sughetto ristretto.

Bevo per rendere gli altri interessanti

George Jean Nathan (1882-1958)
critico teatrale

Giuseppe Quintarelli • *viticoltore*

"I miei vini non sono grandi, sono buoni vini, fatti bene. Cerco di produrre vini che mi piacciano e mi soddisfino. Non ho avuto riferimenti o ideali, se non quello di produrre vini come quelli che ho sempre bevuto a casa mia. Non ho imparato da nessuno, se non dai miei genitori; loro mi hanno insegnato tutto il necessario"

“Bevendo gli uomini migliorano: fanno buoni affari, vincono le cause, son felici e sostengono gli amici”

Aristofane
(450 a.C.-388 a.C. ca.)
drammaturgo

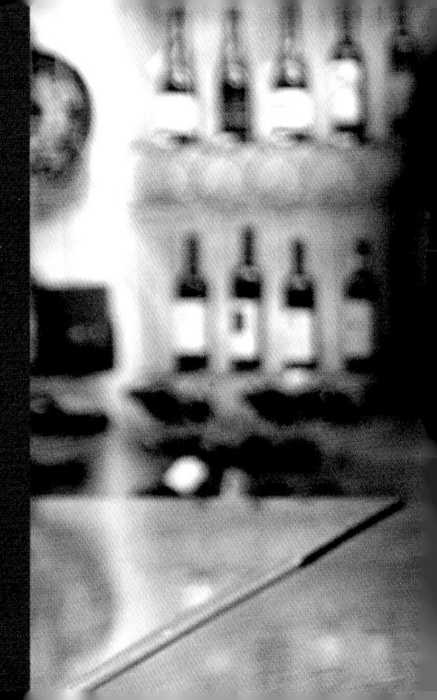

bocconcini di merluzzo al limone

Per i bocconcini: **1/2 kg** di filetto di merluzzo • **1** limone • **10** olive verdi
1 bicchiere di Chardonnay • **2** cucchiai di farina bianca "00" • **1** cucchiaio di pangrattato di grissini • **3** cucchiai di olio d'oliva ev • **2** spicchi d'aglio
sale e pepe

Spinate, se necessario, il filetto e tagliatelo a bocconcini. Amalgamate la farina al pangrattato e poco sale e passatevi i bocconcini. Schiacciate l'aglio e imbionditelo in padella con l'olio d'oliva; unite il pesce e rosolatelo sfumando poi con il vino bianco.
Fate evaporare girando il pesce e appena tende ad asciugarsi, unite le olive tagliuzzate e il succo di limone. Salate, pepate e servite appena il pesce risulta ben cotto.

15 minuti *15 minuti* *facile* *Sicilia Chardonnay*

fagiano in salsa di funghi e tartufo

Per il fagiano:
- **1** fagiano
- **8** fettine di pancetta
- **1** bicchiere di vino bianco
- **1** tartufo bianco (circa 15 g)
- **1** tartufo nero (circa 20 g)
- sale e pepe

Per la salsa:
- **200 g** di porcini
- **30 g** di burro
- **1/2** cipolla bianca
- **1** bicchierino di Cognac
- nepitella
- sale e pepe

fagiano in salsa di funghi e tartufo

Pulite i porcini e tagliateli a fettine. In una padella fate appassire 1/2 cipolla tritata. Unite i funghi tagliati, alzate la fiamma e bagnate con poco Cognac. Lasciate sfumare e aggiungete sale, pepe e poca nepitella; cuocete per altri 5 minuti e passate al tritatutto. Pulite il fagiano, spiumatelo, tagliate il collo alla base e spuntate le zampe. Svuotatelo e lavatelo con cura anche internamente, asciugatelo; salate e pepate all'esterno e internamente. Affettate una parte del tartufo bianco e inserite sotto la pelle. Rivestite il fagiano con la pancetta e legatelo con uno spago. Cuocete il fagiano in forno a 120°C per almeno 3 ore e tagliate lo spago. Scaldate la salsa di funghi e completatela con il restante tartufo bianco a lamelle; versatela sulle porzioni di fagiano e completate con il tartufo nero tagliato a fiammifero.

La ricchezza dei polifenoli nei grappoli d'uva

carciofi con stinco, olive e peperoni

Per i carciofi: 8 carciofi grandi • **250 g** di polpa di stinco macinata
1 peperone rosso • **70 g** di olive nere • **6** cucchiai di olio d'oliva ev • **200 ml** di Sorni Bianco • **2** spicchi d'aglio • **1** limone • prezzemolo • sale e pepe

Soffriggete l'aglio tritato con l'olio e rosolatevi per 2 minuti la carne sfumando con il vino. Aggiustate di sapore e tenete al caldo. Cubettate il peperone e rosolatelo per 5 minuti con olio e sale. Pulite i carciofi, scavateli al centro con un cucchiaino e tuffateli in acqua fredda con limone. Tritate le olive e mescolatele al peperone e alla carne; aggiustate di sale e pepe e unite il prezzemolo tritato. Sbollentate i carciofi e fateli raffreddare; farciteli con il composto e infornateli per 10 minuti a 220°C.

Salvo Foti • *viticoltore*

“Prima di valultare o definire un vino,
d’altronde come dovrebbe farsi per le persone,
è necessario documentarsi, dobbiamo
far precedere la conoscenza al giudizio.
La conoscenza aiuta a capire e a ben giudicare”

maiale di cinta glassato al Morellino

Per il maiale:

- **700 g** di filetto di maiale di cinta
- **1/2** bottiglia di Morellino di Scansano
- **1/2** cucchiaio di semi di finocchio
- **2** spicchi d'aglio
- **1** cucchiaio di miele di castagno
- **1** cucchiaio raso di zucchero
- **1** foglia d'alloro
- **3** foglie di salvia
- **2** cucchiaino di olio d'oliva ev
- **1** noce di burro
- sale e pepe

maiale di cinta glassato al Morellino

Tagliate il filetto in 4 pezzi e conditeli con un trito sottile di salvia e semi di finocchio pestati, sale e pepe. Versate il vino con poco zucchero in un pentolino e fatelo ridurre della metà a fiamma medio bassa.
Scaldate una casseruola larga con l'olio e il burro, unite l'aglio in camicia e rosolatelo appena. Ponete il maiale a colorirsi rigirandolo su tutti i lati e, dopo pochi minuti, versate il vino caldo ridotto; alzate la fiamma. Stemperate il miele di castagno nel fondo liquido del maiale fino a renderlo uno sciroppo. Fate ridurre il fondo e quando comincia ad addensarsi, versatelo continuamente sopra il maiale con un cucchiaio da cucina in modo da lasciarlo sempre glassato. Servite il maiale tagliato in 2 con il proprio fondo.

Una curiosità

Il Morellino di Scansano, originariamente prodotto nella provincia di Grosseto, è oggi molto apprezzato. Ha colore rosso rubino tendente al granato, un odore vinoso che, con l'invecchiamento, tende a intensificarsi. Si abbina molto bene con carni rosse arrosto e cacciagione.

Gualtiero Marchesi • *chef*

"Cibo e vino sono soprattutto piacere e nutrimento, noi siamo quello che mangiamo"

carré d'agnello al Cannonau

Per il carré:
- **800 g** di carré d'agnello
- **300 ml** di vino Cannonau
- **1** grappolo di ribes rossi
- **1** cucchiaio raso di miele
- **1** cucchiaio di trito fine di odori (rosmarino, salvia, timo)
- **8** patate a pasta gialla
- **2** cucchiai di olio d'oliva ev
- **100 g** di burro
- **200 ml** di brodo vegetale
- **1** pizzico di caffè in polvere
- noce moscata
- sale e pepe

carré d'agnello al Cannonau

Unite un'abbondante presa di sale, il caffè e il trito di odori e insaporitevi la carne, precedentemente separata dalle parti grasse. Scaldate l'olio d'oliva in una padella e rosolatevi brevemente il carré diviso in 4 pezzi uguali, sfumate con metà del vino e fate cuocere per 3-4 minuti. Scolate la carne, ponetela su una teglia e copritela con la carta stagnola. Unite il resto del vino in padella, il miele e i ribes; fate ridurre fino a rendere sciropposa la salsa. Intanto pelate e tornite con un coltellino le patate, fatele saltare in padella con il burro fino a dorare la parte esterna, bagnatele con il brodo caldo poco a poco e profumatele con la noce moscata, sale e pepe, lasciandole cuocere. Passate la carne in forno caldo a 200°C per 7-8 minuti, lasciandola rosata al centro; disponetela nei piatti con le patate, glassando con la salsa.

Una curiosità

Il Cannonau, vino pregiato, è invecchiato di norma per un anno in botti di rovere o castagno e, se invecchiato per tre anni, può qualificarsi come "Riserva". Pochi sanno che si produce anche un Cannonau rosato, da parziale vinificazione in bianco, adatto a piatti leggeri a base di carne o verdura.

Il vino è uno dei maggiori segni di civiltà nel mondo

Ernest Hemingway (1899-1961) • scrittore

gallinella all'acquapazza

Per la gallinella: 1 gallinella di mare (circa 700 g) • **8** pomodorini ciliegia **1** bicchiere di Greco di Tufo • **2** spicchi d'aglio • **1** carota • **1** costa di sedano • **3** cucchiai di olio d'oliva ev • origano • sale e pepe

Lavate il pesce, svuotatelo dalle interiora e lavatelo ancora. Praticate un'incisione al centro di ogni filetto. Lavate il sedano e pelate la carota, tagliateli a pezzetti e rosolateli con l'olio, aglio e poca acqua. Portate a bollore, unite il vino e un pizzico d'origano, fate evaporare l'alcol e aggiungete la gallinella (l'acqua deve arrivare a metà del pesce). Unite i pomodori tagliati in 2, salate, coprite e fate cuocere a fiamma media per 20 minuti glassando con il proprio sughetto. Lasciate riposare 15 minuti e servite.

filetto agli aromi con cipolle al Barbera e balsamico

Per il filetto:
- **1/2 kg** di filetto di manzo magro
- **2** rametti di rosmarino
- **8** foglie d'alloro
- sale e pepe

Per le cipolle:
- **300 g** di cipolline borettane fresche
- **1** bicchiere di Barbera
- **1** cucchiaino d'aceto balsamico
- **3** cucchiai di olio d'oliva ev
- sale

filetto agli aromi con cipolle al Barbera e balsamico

Sbollentate le cipolle in acqua salata per 5 minuti e scolatele. Tagliatele poi a pezzi grossolani e rosolatele in padella con l'olio dorandole per 4-5 minuti, sfumate con il vino e l'aceto e lasciate ridurre pian piano.

Tagliate il filetto in 4 medaglioni e legatelo esternamente racchiudendo le cimette del rosmarino e le foglie d'alloro.

Salate la piastra in ghisa e scaldatela bene, quando il sale comincia a "saltare" poggiate i filetti e cuoceteli rendendoli ben croccanti esternamente e lasciando poi rosato il cuore. Serviteli sulla cipollata al Barbera che avrà perso il forte del vino e dell'aceto. Aggiustate di sapore e servite.

Un'idea in più

Per ottenere un risultato ottimale cuocete il filetto sul barbecue invece che sulla piastra in ghisa. Per rigirare il filetto, ricordate inoltre di non pungerlo con la forchetta, in modo da non far fuoriuscire i liquidi.

Non sempre il vino nuovo ci fa dimenticare quello che la vite ci ha donato l'anno prima *Simonide (555 a.C.-466 a.C.) • poeta*

Il vino sa rivestire il più sordido tugurio d'un lusso miracoloso e innalza portici favolosi nell'oro del suo rosso vapore, come un tramonto in un cielo annuvolato

Charles Baudelaire (1821-1867) • poeta

fegato marinato al Vin Santo e salvia

Per il fegato: **1/2 kg** di fegato di manzo (in un solo pezzo)
1/2 l di latte intero fresco • **1** bicchiere di Vin Santo • **7-8** foglie di salvia
2 cucchiai di olio d'oliva ev • **1** rametto di rosmarino • sale grosso

Mettete il fegato in una terrina, unite il latte e il vino, profumate con qualche foglia di salvia spezzettata e il rosmarino. Lasciate marinare per 1 giorno in frigorifero coprendo con pellicola. Trascorso il tempo scolate la carne e tagliatela in 3-4 pezzi. Scaldate una piastra in ghisa rigata appena unta d'olio e asciugata con la carta da cucina. Salate con sale grosso la superficie e piastrate i pezzi di fegato lasciandoli rosati al cuore. Fate riposare 2 minuti e scaloppate. Servite il fegato con un contorno di verdure cotte.

15 minuti *10 minuti* *facile* *Gewürztraminer Vendemmia Tardiva*

filetto di cinta rosato e fichi glassati

Per la carne:

- **550 g** di filetto di cinta senese
- pepe di Sechuan
- **4** cucchiai di olio d'oliva ev delicato
- **2** spicchi d'aglio
- **2** foglie d'alloro, sale

Per i fichi:

- **6** fichi rossi
- **1** noce di burro
- **1** cucchiaino di zucchero di canna
- **1** bicchiere di vino Amarone della Valpolicella
- sale

filetto di cinta rosato e fichi glassati

Lavate i fichi ed eliminate il picciolo; poi tagliateli in 4 spicchi.
Scaldate in una padella il burro con lo zucchero di canna, aggiungete i fichi e poco dopo il vino Amarone; fate cuocere lentamente mescolando con delicatezza i fichi fino a farli glassare bene. Salate leggermente.
Intanto tagliate il filetto in 4 nodini e insaporitelo esternamente rotolandolo nel pepe pestato e in poco sale.
Scaldate una padella di rame con l'olio di oliva extravergine, l'aglio e l'alloro, e rosolatevi la carne a fiamma viva per 6-7 minuti, facendo colorire bene l'esterno e lasciando rosato il cuore.
Servite il filetto aperto in 2 parti con qualche spicchio di fichi glassati e con la loro salsa.

Una curiosità

Sechuan è la più grande provincia della Cina. In questa zona i terreni sono particolarmente fertili e il clima è caldo e umido; i raccolti possono quindi svilupparsi rigogliosamente durante tutto l'anno; le spezie vengono coltivate in abbondanza, in modo particolare i chili e i famosi granelli di pepe di Sechuan.

"Sii temperato nel bere: il troppo vino non serba segreti, né mantiene promesse"

Miguel de Cervantes (1547-1616) • scrittore

piccione in casseruola con cavolo rosso al Merlot

Per il piccione:
- **4** piccioni
- **2** spicchi d'aglio
- **1** rametto di rosmarino
- **2** foglie di salvia
- **3** cucchiai di olio d'oliva ev
- **1** foglia d'alloro
- **100 ml** di brodo di pollo
- sale e pepe

Per il cavolo:
- **1/4** di cavolo rosso cappuccio
- **2** cucchiai di olio d'oliva ev
- **1** cucchiaio d'aceto bianco
- **1** cucchiaino di miele
- **1** bicchiere di Merlot
- **1/2** cipolla bianca
- sale e pepe

piccione in casseruola con cavolo rosso al Merlot

Affettate la cipolla e stufatela in casseruola con l'olio, fino a renderla trasparente. Unite il cavolo tagliato fine, aggiungete il miele e sfumate con l'aceto. Salate e pepate e deglassate con il vino rosso, abbassando poi la fiamma e lasciando cuocere per 20 minuti circa, in modo da renderlo semicaramellato.

Fiammeggiate i piccioni ben puliti all'interno, lavateli e insaporiteli con un trito di rosmarino e salvia. Scaldate una casseruola con l'olio e l'aglio intero, unite i piccioni rosolandoli e profumate con la foglia d'alloro. Sfumate con il brodo, coprite e fate cuocere 15 minuti. Aggiustate di sapore, staccate le cosce dal piccione e scaloppate la polpa del petto. Disponete un fondo di cavolo stufato al centro dei piatti, poggiate i pezzi di piccione glassati con il proprio fondo e decorate a piacere con erbe fresche.

Una curiosità

Il cavolo rosso appartiene alla famiglia dei cavoli cappuccio, che possono essere anche verdi (varietà alba). Le tipologie rosse, come in questo caso, appartengono alla varietà "rubra", fra cui troviamo la popolare "Testa di negro".

Non c'è niente
di sbagliato nella
sobrietà a piccole dosi

John Ciardi (1916-1986) • poeta e letterato

La sinuosità delle colline moreniche in Franciacorta

daino al profumo di sottobosco

Per la carne: **400 g** di carne di daino • **100 g** di ribes rossi • **100 g** di mirtilli • **1** costa di sedano • **1/2** carota • **1/2** cipolla • **2** foglie d'alloro **100 ml** di vino rosso • **6** cucchiai di olio d'oliva ev • sale e pepe

Tagliate la carne di daino a fettine di circa 1 cm. Sgranate i ribes e lavateli con i mirtilli. Tritate il sedano, la carota e la cipolla rossa e fate stufare a fuoco dolce le verdure con l'olio d'oliva extravergine e l'alloro. Aggiungete la carne al soffritto, scottatela per 30 secondi e rigiratela. Aggiungete i frutti di bosco e sfumate con il vino rosso. Salate, pepate e fate restringere il sugo di cottura. Disponete le fettine di daino a ventaglio sui piatti e salsatele con il sugo di cottura che avrete tenuto a parte.

20 minuti *10 minuti* *facile* *Alto Adige Santa Maddalena*

Renato Mereu • *viticoltore*

"Il vino di qualità (intesa come serbevolezza
e capacità di trasmettere gradimento)
era per gli antichi addirittura moneta,
valore di scambio nei negozi"

rotolini di pollo farcito al limone candito e Bardolino

Per i rotolini:
- **1** petto di pollo grosso
- **8** fette di prosciutto cotto affettato spesso
- **1** bicchiere di Bardolino Chiaretto
- **1** limone non trattato
- **2** cucchiai d'aceto balsamico
- **2** rametti di timo
- **150 g** di trito di sedano, carota e cipolla
- **2** foglie di salvia,
- **1** cucchiaio di zucchero
- **3** cucchiai di olio d'oliva ev
- **1** noce di burro, sale e pepe

rotolini di pollo farcito al limone candito e Bardolino

Lavate e sbucciate il limone ricavandone la scorza, tagliatela a listarelle e mettetele in una casseruola con acqua fredda. Portate a bollore e scolate. Fate lo stesso altre 2 volte e poi scolate in padella con 1 noce di burro fuso e lo zucchero. Appena inizia a caramellare sfumate con l'aceto e fate ridurre. Tagliate in 2 metà il petto di pollo eliminando le ossa e tagliate poi ogni metà in 2 parti orizzontali. Ponete i filetti tra 2 pellicole oliate e battete con il batticarne. Salate e pepate e disponetevi le fette di prosciutto e qualche scorzetta candita. Arrotolate e legate. Cuocete in padella con l'olio, la salvia, il timo e gli odori. Sfumate con il vino e poco balsamico, facendo cuocere a fiamma media con le scorzette rimaste e girando spesso fino a completa cottura della carne.

insalata di coniglio e ceci

Per l'insalata: 2 selle di coniglio • **200 g** di ceci • **2** foglie di salvia
2 spicchi d'aglio • **1** cucchiaio d'aceto balsamico • **15** capperi dissalati
4 cucchiai di olio d'oliva ev • **1/2** bicchiere di Lagrein Rosato • sale e pepe

Staccate i lombetti dalle selle e privateli della parte bassa aderente alla pancia, tagliatela a striscioline e saltatela in padella con 1 spicchio d'aglio, olio e salvia. Sfumate con il balsamico e aggiungete i ceci cotti. Salate e pepate. In una seconda padella, scaldate l'olio con l'altro spicchio d'aglio; rosolatevi i 4 lombi di coniglio, salate, pepate e sfumate con il vino rosato. Scolate la carne e affettatela. Dividete il composto in 4 fondine, aggiungete i capperi tagliuzzati e unite i lombi; glassate con il sugo e servite.

20 minuti *15 minuti* *media* *Lagrein Rosato*

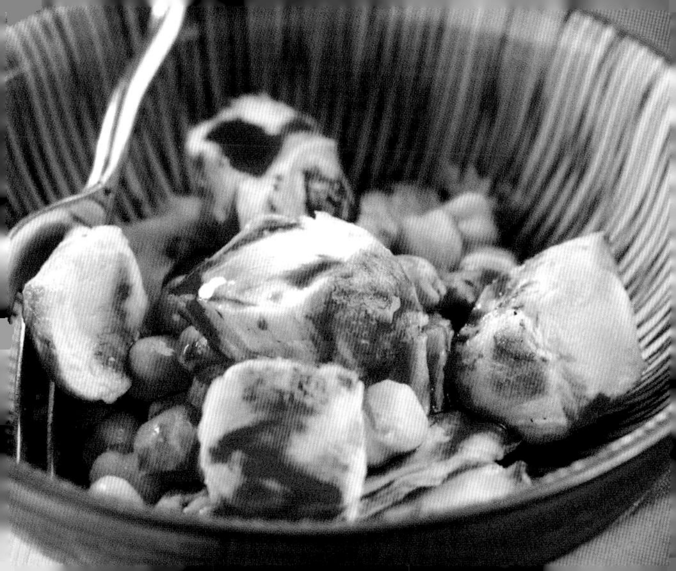

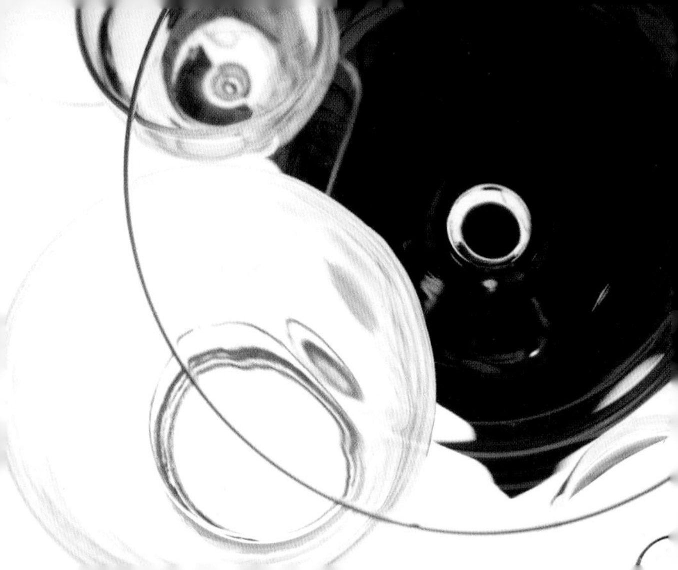

l vino prepara i cuori
: li rende più pronti
lla passione
vidio (43 a.C.-17 d.C.) • poeta

lesso "Mariapia"

Per il lesso: 1/2 kg di lesso di manzo • **100 g** di trito di sedano, carota, cipolla **4** cucchiai di olio d'oliva ev • **1** bicchiere di Sangiovese • zucchero • **1** foglia d'alloro • **2** fette di lardo di Colonnata • **1** spicchio d'aglio • sale e pepe

Tritate il lardo e fatelo sciogliere in casseruola con l'olio e lo spicchio d'aglio, versate poco vino e sfumate. Tagliate la carne a strisce spesse e unitele al fondo di cottura. Unite l'alloro e il resto del vino, un pizzico di zucchero e poco sale. Fate restringere a fiamma bassa unendo gli odori cotti con la carne tagliati a pezzi. Cuocete a fiamma bassa in modo da restringere il fondo ma non indurire la carne. Fate riposare 20 minuti e servite con il sugo.

 *15 minuti*  *20 minuti* *facile* *Rosso di Montalcino*

Il vino bianco
va servito assiderato

Totò (1898-1967) • il principe della risata

salmone al Pinot Bianco e pepe rosa

Per il salmone:

- **550 g** di filetto di salmone norvegese
- **50 g** di burro
- **1** bicchiere di Pinot Bianco
- **1** ciuffetto d'aneto, **2** spicchi d'aglio
- **1** cucchiaio di farina bianca "00"
- **1** cucchiaino di pepe rosa in grani
- sale e pepe

Per i finocchi:

- **4** finocchi, **1** limone
- **120 g** di pangrattato granuloso
- **2** cucchiai di olio d'oliva ev
- **1** uovo, sale

salmone al Pinot Bianco e pepe rosa

Spinate il salmone e privatelo della pelle, tagliatelo in 4 pezzi e conditelo con sale, pepe, aneto e pepe rosa; coprite con la pellicola e lasciate marinare in frigorifero. Spuntate i finocchi e tagliateli in 4 pezzi. Cuoceteli a vapore con acqua acidulata e succo di limone per profumare. Amalgamate il pangrattato con l'olio e l'uovo, mescolando gli ingredienti con le dita. Fate raffreddare i finocchi e panateli superficialmente con il composto di pangrattato; aggiustate di sapore, disponete le verdure nella teglia e gratinate a 200°C per 10 minuti fino a doratura.
Passate il salmone nella farina e cuocetelo in padella antiaderente con il burro, sfumando subito con il vino e lasciandolo ridurre dolcemente. Servite con i finocchi gratinati ben croccanti.

Una curiosità

Non tutti sanno che il pepe rosa non è un vero e proprio pepe, bensì una bacca originariamente proveniente dal Sud America, che ricorda però il pepe nel sapore e nell'odore. Si può utilizzare in moltissime preparazioni, e nella cucina italiana è impiegato soprattutto nei piatti a base di pesce.

lombetto d'agnello al Pinot Nero

Per l'agnello: **1/2 kg** di lombo d'agnello • **300 ml** di Pinot Nero
1/2 scalogno • **1** cucchiaino di pepe dolce in grani • **60 g** di strutto
1 cucchiaino di miele di castagno • sale e pepe

Tagliate la carne in 4 pezzi e cuocetela in una casseruola con lo strutto mantenuto a temperatura molto bassa in modo che la carne resti morbida. Appena la carne, infilzandola con uno stuzzicadenti, non rilascerà più sangue rosso ma rosato, scolatela dal grasso di cottura. Tagliate lo scalogno in 4 parti e fatelo restringere a fiamma vivace con il vino, il miele e il pepe in grani. Fate addensare, tagliate la carne in 2 fette spesse per pezzo e glassate con la riduzione al Pinot Nero.

20 minuti *60 minuti* *facile* *Alto Adige Pinot Nero Riserva*

Ernst Theodor Wilhelm Hoffmann

(1776-1822) • artista

"Il musicista coscienzioso deve servirsi del vino di Champagne per comporre un'opera comica.
Vi troverà la gaiezza spumeggiante e leggera che il genere richiede per poter presentare un prodotto brillante e senza sedimenti"

La vita è troppo breve
per bere vini mediocri

Johann Wolfgang von Goethe (1749-1832)
romanziere e poeta

polpo con patate rosse e cipolle

Per il polpo: 1 polpo (circa 500 g) • **2** spicchi d'aglio • **2** peperoncini rossi **2** bicchieri di Cabernet • **2** coste di sedano • **3** cipolle bianche • **5-6** patate rosse • **3** cucchiai di olio d'oliva ev • sale e pepe

Scaldate 3 litri d'acqua, il vino, l'aglio in camicia, il peperoncino e il sedano; raggiunta l'ebollizione, tuffatevi il polpo. Cuocetelo per 35 minuti circa e lasciatelo raffreddare nel proprio brodo. Lavate le patate, tagliatele a pezzi e cuocetele in forno a 200°C con olio, sale e pepe, girandole fino a dorarle. Pelate e tagliate in 4 spicchi le cipolle, bollite in acqua salata e scolatele appena trasparenti. Fate raffreddare e condite con olio, sale e pepe.Tagliate il polpo a pezzi e componete i piatti con le tre preparazioni.

20 minuti *35 minuti* *facile* *Friuli Collio Cabernet*

terrina di manzo e gallina con salsa al Gewürztraminer

Per la terrina:
- **200 g** di manzo magro
- **300 g** di gallina per lesso (più qualche osso della carcassa)
- **1** bicchiere di Gewürztraminer
- **1** bicchiere di Sangiovese
- **3** carote
- **2** coste di sedano
- **2** foglie d'alloro
- **1** cipolla bionda
- **7-8** cornetti
- **1** cucchiaino di zucchero di canna
- **2** fogli di gelatina
- **2** semi di cardamomo
- pepe nero in grani
- sale

20 minuti *90 minuti* *facile* *Alto Adige Gewürztraminer*

terrina di manzo e gallina con salsa al Gewürztraminer

Bollite la carcassa della gallina con il sedano, 1 carota e la cipolla a pezzetti, l'alloro, il pepe in grani, poco sale, il vino bianco e acqua. Cuocete per circa 1 ora, schiumando e unite la carne, facendola cuocere dolcemente. Scolatela e tagliatela a pezzi lasciandola raffreddare con 1 mestolo di brodo, per riassorbire i liquidi. Bollite le carote rimaste e i cornetti spuntati. Filtrate il brodo rimasto e restringetelo ricavandone 1 bicchiere; filtrate di nuovo e scioglietevi la gelatina ammollata e strizzata. Tagliate a pezzi la carne e mettetela con le carote e i cornetti bolliti in uno stampo da terrina foderato con pellicola. Versate il brodo e ponete in frigorifero. Restringete il Sangiovese con lo zucchero e il cardamomo schiacciato. Sformate la terrina, e servitela con un filo di ristretto di vino.

Una curiosità

Il vitigno del Gewürztraminer, o Traminer aromatico, si coltiva in Italia soprattutto in Alto Adige e Friuli, mentre nel resto d'Europa lo troviamo soprattutto in Francia e Germania. Da questo vitigno, com'è noto, nascono vini bianchi fruttati, inconfondibili e caratteristici.

stufato alla sangiovannese

Per lo stufato: 1 cosciotto di vitello • **1** cipolla bianca • **1** carota • **1** costa di sedano • **2** spicchi d'aglio • **1/2** bottiglia di vino rosso • **2** limoni • **1** cucchiaio di conserva di pomodoro • olio d'oliva ev • noce moscata • sale pepe

Tritate sedano, carota e cipolla e appassite con poco olio; unite il muscolo della zampa di vitello con l'aglio e le bucce dei limoni a pezzi. Aggiungete sale, pepe, noce moscata e fate rosolare. Bollite le ossa del vitello in acqua non salata. Una volta rosolata la carne, aggiungete il vino rosso (deve ricoprire la carne) e fate evaporare, fino a ridurre il vino in un sugo denso. Unite la conserva di pomodoro e aggiungete mano a mano il brodo delle ossa. Verso fine cottura a fuoco basso aggiungete poca noce moscata.

20 minuti *240 minuti* *media* *Toscana Cabernet Sauvignon*

Più inebriante del vino è il tuo amore

Cantico dei Cantici

brutti ma buoni al Passito

Per i biscotti:

- **100 g** di mandorle
- **80 g** di zucchero a velo
- **3** cucchiai di Passito di Pantelleria
- **1** cucchiaio di fecola di mais
- **1** albume
- **20 g** di zucchero
- sale

 *15 minuti*  *40 minuti*  *facile* *Moscato Passito di Pantelleria*

brutti ma buoni al Passito

Tritate grossolanamente 2/3 delle mandorle (precedentemente tostate), aggiungete il Passito, lo zucchero a velo, il resto delle mandorle intere e mescolate.

Montate a neve l'albume con un pizzico di sale, unite lo zucchero e il composto di mandorle e zucchero a velo. Incorporate delicatamente la fecola di mais.

Distribuite il composto a cucchiate sulla placca del forno foderata con carta oleata, lasciando distanziati i mucchietti almeno di 2 cm.

Cuocete in forno caldo a 130°C per circa 40 minuti e serviteli freddi.

carpaccio di pesche noci al Sauternes

Per le pesche noci: 2 pesche noci bianche sode • **100 ml** di Sauternes
5 amaretti • **2** cucchiai d'uvetta • menta

Lavate le pesche, denocciolatele e riducetele a fette fini.
Mettetele in una terrina con il Sauternes e l'uvetta.
Fate rinvenire per 30 minuti. Scolate le pesche e dividetele in 4 bicchieri da vino, aggiungete gli amaretti sbriciolati e la menta.
Fate ridurre il Sauternes in un pentolino con l'uvetta e l'acqua delle pesche; fate raffreddare, versate nei bicchieri e servite.

Non sono lunghi, i giorni
del vino e delle rose:
da un vago sogno il nostro
cammino emerge per
un tratto, poi si chiude
in un sogno *Ernest Christopher Dowson*
(1867-1900) • poeta

Il giallo dell'uva illuminata dal sole

conserva di frutti rossi, cacao e Recioto

Per la conserva:

- **1** vaschetta di lamponi
- **1** vaschetta di fragoline di bosco
- **1** vaschetta di ribes rosso
- **1** vaschetta di more
- **3** cucchiai di zucchero
- **1** bicchiere di Recioto della Valpolicella
- **3** fave di cacao puro tostato
- **1** cucchiaino scarso di gelatina per conserve

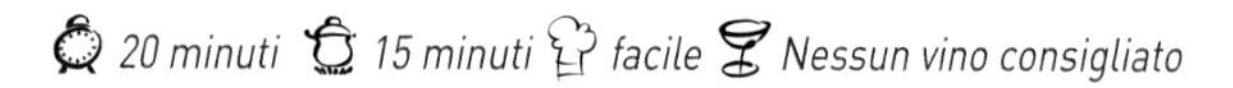

conserva di frutti rossi, cacao e Recioto

Scaldate in una casseruola il vino con lo zucchero e, appena inizia a bollire, unite i frutti di bosco ben lavati, sgrappolati e asciugati.
Lasciate cuocere per 7-8 minuti con la gelatina disciolta in poca acqua e le fave di cacao puro. Appena sarà evaporato l'alcol, togliete dal fuoco e fate raffreddare. Versate in un contenitore dalla chiusura ermetica, sigillate e capovolgete il barattolo facendolo raffreddare; oppure bollitelo per conservarlo più a lungo. Servite accompagnando a piacere con gelati, dessert a base di latticini freschi o bavaresi.

Una curiosità

Il Recioto è uno dei pochi vini che si riesce ad abbinare ad alcune preparazioni con il cioccolato. In questa conserva si abbina alla perfezione con il gusto forte e amaro delle fave di cacao pure (chiedetele in pasticceria o negozi di pralineria).

strudel di mele al Marsala

Per lo strudel: 250 g di pasta sfoglia • **2** mele Golden • **1** bicchiere di vino Marsala • **2** cucchiai di zucchero di canna • **100 g** di burro • **1** pizzico di cannella • **1** cucchiaio d'uvetta

Sbucciate le mele, tagliatele a dadini e mettetele in una terrina con l'uvetta e il Marsala a macerare per 2 ore. Scolate e strizzate, unite lo zucchero di canna e la cannella. Stendete la pasta sfoglia dividendola in 4 quadrati. Farcite con le mele e chiudete a cannolo sigillando le estremità, spennellate con il burro e infornate a 190°C per 20 minuti circa. Restringete la marinatura della frutta in un pentolino a fiamma bassa. Sfornate gli strudel, tagliateli in 2 parti e serviteli con il ristretto al Marsala tiepido.

Pt-20

Il bronzo è lo specchio del volto, il vino quello della mente

Eschilo (525 a.C.-456 a.C) • drammaturgo

mousse di Brachetto

Per la mousse:
- **300 ml** di Brachetto
- **2** cucchiai di zucchero
- **150 ml** di panna fresca
- **1,5** fogli di gelatina

Per decorare:
- **300 g** di pasta sfoglia
- **1** cucchiaio di zucchero a velo vanigliato
- **30 g** di burro

 *30 minuti* *15 minuti*  *facile*  *Brachetto*

mousse di Brachetto

Versate il vino in un pentolino con lo zucchero e fatelo restringere dolcemente fino a 1/3. Lasciatene 2 cucchiai da parte e unite al resto la gelatina ammollata in acqua fredda e strizzata; fate raffreddare a temperatura ambiente. Montate la panna e incorporatevi lo sciroppo di vino amalgamando fino a rendere il composto omogeneo. Riempite 4 stampini a piramide monoporzione e fate rapprendere in frigorifero per 1 ora. Stendete la pasta sfoglia e fate delle incisioni diagonali superficiali e spennellate con il burro fuso. Spolverate con lo zucchero a velo e ritagliate poi delle listarelle di 5 cm e larghe 1 cm. Infornatele a 190°C fino a doratura e fate raffreddare. Sformate le mousse nei piatti, completate con le listarelle di sfoglia e il ristretto rimasto.

Una curiosità

Il Brachetto è un vitigno dal quale si ricavano diversi vini fra cui il Brachetto d'Acqui, vino rosso a Doc piemontese di colore rosso rubino tendente al rosato, aroma delicato e sapore dolce e morbido. Ideale per i dessert.

Gualtiero Marchesi • *chef*

"Personalmente, preferisco bere un grande vino alla fine del pasto per poterlo gustare meglio. A chi non è d'accordo con me dico solo: non credetemi, ma verificate!"

La vendemmia: in equilibrio tra uomo e terra

gelatina di Sauternes

Per la gelatina: 300 ml di Sauternes • **1** cucchiaio di zucchero
1 cucchiaino di agar agar • **1** limone **Per decorare:** menta • **4** more

Scaldate il vino a fiamma bassa unendo 2 gocce di limone, lo zucchero e l'agar agar in polvere. Fate sciogliere per 2 minuti girando spesso fino a ottenere un composto omogeneo. Tagliate 4 triangoli di carta oleata e create dei cilindri fermando con del nastro adesivo. Versate al centro il vino e lasciateli rassodare in frigorifero (metteteli in 4 bicchieri stretti). Strappate la carta delicatamente sformando le gelatine nei piatti e decorate con la menta fresca e 1 mora.

"Bisogna esser sempre ubriachi. Tutto sta in questo: è l'unico problema. Per non sentire l'orribile fardello del Tempo che rompe le vostre spalle e vi inclina verso la terra, bisogna che vi ubriachiate senza tregua. Ma di che? Di vino, di poesia o di virtù, a piacer vostro, ma ubriacatevi..."

Charles Baudelaire (1821-1867) • poeta

pere Martine al forno

Per le pere:
- **1 kg** di pere Martine di montagna
- **200 g** di zucchero
- **1** bicchiere di vino rosso
- **2** bicchieri di panna fresca
- cannella
- noce moscata
- chiodi di garofano

 *20 minuti*  *30 minuti* *facile*  *Nessun vino consigliato*

pere Martine al forno

Lavate le pere, privatele della buccia, tagliatele a metà nel senso della lunghezza, eliminate il torsolo e sistematele in un capace tegame da forno. Aromatizzatele con cannella, noce moscata e chiodi di garofano.

Sciogliete lo zucchero nel vino, mescolate bene e versate il liquido sulle pere. Cuocete le pere marinate in forno per circa 30 minuti a 180°C.

A cottura ultimata lasciate raffreddare, disponetele su un piatto da portata, cospargetele con il loro liquido di cottura, guarnite con la panna montata e servite.

Una curiosità

Per questa ricetta, vi consigliamo di utilizzare le pere Martine (conosciute anche come pere di San Martino o Garofole), in quanto proprio questa varietà risulta molto adatta alla cottura.

L'amicizia è il vino della vita
Edward Young (1683-1765) • poeta

Un amico nuovo
è come il vino nuovo:
invecchierà e lo berrai
con delizia

Ecclesiastico

schiaccia all'uva

Per la schiaccia:
- **1/2 kg** di farina bianca "00"
- **2** panetti di lievito di birra
- **1/2 kg** di uva rossa da vino
- **300 g** di zucchero
- **1** cucchiaio di olio d'oliva ev
- **1** noce di burro

schiaccia all'uva

Separate gli acini dal grappolo con delicatezza. Sciogliete il lievito in un bicchiere d'acqua tiepida. In una terrina mettete la farina a fontana, disponetevi al centro poco più di metà degli acini d'uva, versate il lievito, lo zucchero, 1 cucchiaio di olio d'oliva e impastate lavorando il composto per 10 minuti. Se gli acini, rompendosi, dovesssero rendere l'impasto troppo morbido, aggiungete poco alla volta della farina. Formate una palla e copritela, lasciate riposare la pasta per 1 ora, per farla lievitare, in un luogo fresco e asciutto. Imburrate una teglia e cospargete 1 cucchiaio di farina. Stendete la pasta nella teglia, schiacciandola con le mani senza mattarello. Distribuite gli acini restanti sulla superficie e terminate spolverando con abbondante zucchero. Cuocete in forno a 150°C per circa 1 ora.

torta morbida al vino rosso

Per il tortino: 125 g di farina bianca "00" • **60 g** di zucchero • **25 g** d'uvetta **35 g** di frutta secca • **1/2 l** di olio d'oliva ev • **1/2** bicchiere di Alchermes **1/2** bicchiere di Cabernet-Sauvignon • **1** bustina di lievito per dolci • pinoli

Tritate la frutta secca e unitela all'uvetta ammollata. Aggiungete lo zucchero, l'olio, 2 cucchiai di pinoli, l'Alchermes e il vino. Amalgamate aggiungendo la farina setacciata con il lievito e versate in 4 stampini monoporzione imburrati e infarinati. Infornate a 180°C per circa 30 minuti e sformate. Spolverate con lo zucchero a velo e servite.

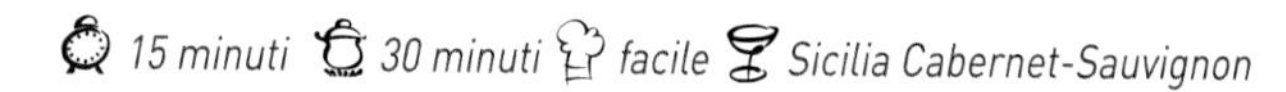

"Fai sempre da sobrio
quello che dici di fare
quando sei sbronzo.
Imparerai a tenere
chiusa la bocca"

Ernest Hemingway
(1899-1961) • scrittore

zuccotto alla fiorentina

Per lo zuccotto:
- **1/2 l** di panna fresca
- **200 g** di farina bianca "00"
- **200 g** di zucchero
- **200 ml** di liquore da dessert
- **120 g** di cioccolato fondente
- **30 g** di cacao amaro
- pan di Spagna

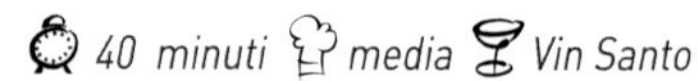

zuccotto alla fiorentina

Tagliate il pan di Spagna a striscioline, foderatevi l'interno di uno stampo a cupola e bagnate tutto molto bene con un liquore per dolci o con il Vin Santo.
Con un coltello tagliate a scaglie il cioccolato fondente. In una terrina montate bene la panna fresca per dolci con lo zucchero e dividetela in 2 parti. In una metà di panna unite il cioccolato tagliato a scagliette e mescolate lentamente. Nell'altra metà incorporate il cacao amaro in polvere.
Farcite lo zuccotto creando due strati diversi. Riempite l'interno dello stampo prima con la panna e cioccolato a scaglie e poi con la panna al cacao. Ricoprite la superficie con altro pan di Spagna inzuppato nel liquore.

gelatina di uva fragola e Fragolino

Per la gelatina: 200 g di uva fragola • **100 ml** di Moscato dolce
2 cucchiai di zucchero • **1** cucchiaino di agar agar in polvere
2 cucchiai d'acqua **Per decorare:** uva fragola • menta fresca

Sgrappolate l'uva e lavatela (tenete da parte qualche chicco per decorare). Frullatela al mixer con lo zucchero e l'acqua. Filtrate al colino schiacciando e girando con un cucchiaio. Scaldate a parte in un pentolino il Moscato e appena avrà perso l'alcol scioglietevi l'agar agar e versate nel succo d'uva. Amalgamate e versate in 4 stampini a piramide in silicone foderato con pellicola trasparente. Lasciate rassodare in frigorifero per 2 ore e sformate decorando con l'uva fragola e la menta fresca.

A chi non piace il vino
Dio gli tolga l'acqua

proverbio toscano

castagnole

Per le castagnole:

- **1 kg** di farina bianca "00"
- **400 g** di zucchero
- **150 g** di burro
- **150 g** di mandorle pelate
- **100 ml** di latte
- **100 ml** di Maraschino
- **5** uova
- **1** limone non trattato
- **10 g** di lievito in polvere
- **1 l** di olio di semi di arachide
- sale

castagnole

Tritate le mandorle con un po' di farina e tenete da parte. In un pentolino fate fondere il burro a bagnomaria e fatelo raffreddare. A parte montate le uova con 300 g di zucchero, poi aggiungete il burro sciolto; lavorate tutti gli ingredienti per 5 minuti circa. Quando il composto risulta gonfio, aggiungete le mandorle tritate, metà della farina, il lievito in polvere, la scorza grattugiata del limone e il sale e continuate a lavorare l'impasto per qualche minuto. Versate il latte e il Maraschino, aggiungete il resto della farina e impastate bene gli ingredienti. Prendete un po' dell'impasto e, aiutandovi con un po' di farina, formate dei bastoncini lunghi dello spessore di circa 3 cm. Tagliate i bastoncini a tronchetti larghi 2-3 cm e friggeteli nell'olio di semi. Passate le castagnole ancora calde nello zucchero rimasto e servitele.

Una curiosità

La mandorla è un frutto molto gustoso, energetico e dalle svariate qualità: è infatti ricco di grassi, proteine, sali minerali e vitamine.
Le mandorle si suddividono solitamente in dolci e amare: in cucina si prediligono però di norma quelle dolci, essendo le mandorle amare spesso più piccole e meno grasse.

Un uomo intelligente
a volte è costretto
a ubriacarsi per passare
il tempo tra gli idioti

Ernest Hemingway (1899-1961) • scrittore

Beltà, il tuo sguardo, infernale e divino, versa, mischiandoli, beneficio e delitto: per questo ti si può paragonare al vino

Charles Baudelaire (1821-1867) • poeta

bavarese al Vin Santo

Per la bavarese:
- **250 ml** di latte
- **150 ml** di Vin Santo
- **300 ml** di panna fresca
- **125 g** di zucchero
- **50 g** di cioccolato fondente
- **4** tuorli
- **3** fogli di gelatina
- **1** stecca di vaniglia
- **12** alchechengi

Per la crema al caramello:
- **200 ml** di panna fresca
- **100 g** di zucchero
- **1** cucchiaino di succo di limone

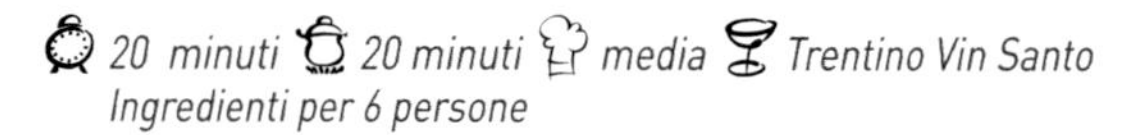

20 minuti *20 minuti* *media* *Trentino Vin Santo*
Ingredienti per 6 persone

bavarese al Vin Santo

Portate a ebollizione il latte con la stecca di vaniglia ed eliminatela. In una terrina sbattete i tuorli con lo zucchero e versate a filo il latte caldo, il Vin Santo e la gelatina ammollata e strizzata: mescolate sino a scioglierela. Filtrate la crema in una terrina e immergetela in acqua fredda per 30 minuti. Montate la panna e incorporatela alla crema. Versate poi in uno stampo da budino bagnato e mettete in frigo per circa 3 ore. Sciogliete il cioccolato a bagnomaria, aprite gli alchechengi e intingeteli, sistemandoli su un piatto. Preparate la crema al caramello sciogliendo lo zucchero in 3 cucchiai d'acqua e il succo di limone. Aggiungete la panna e bollite a fuoco basso per 10 minuti. Togliete dal frigorifero la bavarese, immergete lo stampo per 30 secondi in acqua calda e rovesciatelo su un piatto da portata. Versatevi la crema al caramello e decorate con gli alchechengi.

cono gelato variegato e Moscato Rosa

Per le cialde:
- **50 g** di burro
- **50 g** di zucchero a velo
- **1** albume
- **35 g** di farina bianca "00"
- **1** cucchiaio di pistacchi tostati
- **100 ml** di Moscato Rosa
- **1/2** cucchiaino di agar agar in polvere

Per il cono:
- **250 g** di gelato al fior di latte
- **3** cucchiai di panna fresca
- **1** stecca di liquirizia naturale
- **100 g** di cioccolato fondente

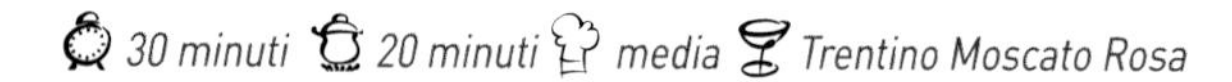

cono gelato variegato e Moscato Rosa

Scaldate la panna con la liquirizia tagliata a scaglie e lasciate in infusione per 10 minuti; filtratela e amalgamatela al gelato. Sciogliete il cioccolato a bagnomaria. Formate 4 coni con della carta da forno arrotolata su se stessa e sigillate con un pezzetto di scotch. Riempiteli con il composto di gelato e ponete in freezer. Scaldate poco vino con l'agar agar e fatelo sciogliere a fiamma bassa. Aggiungete il resto del vino e versate in un contenitore in plastica foderato con pellicola trasparente; fate rapprendere in frigorifero. Sbattete l'albume con lo zucchero a velo, aggiungete il burro fuso tiepido e poi la farina. Amalgamatevi i pistacchi tritati e stendete su carta da forno. Cuocete a 200°C per 4 minuti fino a doratura e sformate su delle tazzine rovesciate. Sfogliate i coni e serviteli sulle cialdine terminando con la gelatina di Moscato.

Una curiosità

Con “Moscato” si denomina una numerosissima categoria di vitigni, quasi tutti di origine molto antica. Oggi, possiamo dire che praticamente ogni regione ha il “suo” Moscato. Un’importante distinzione comunque, è fra i Moscati da bere giovani e i moscati liquorosi: questi ultimi possono arrivare a una gradazione alcolica superiore ai 20°.

Non è vero che un uomo
cambia ubriacandosi,
è da sobrio che è diverso!

Thomas De Quincey (1785-1859) • scrittore

ciliegie al Porto con mousse di ricotta

Per le ciliegie:
- **350 g** di ciliegie grandi
- **200 ml** di Porto
- **1** cucchiaio di zucchero
- **1** stecca di cannella
- **1** arancia
- **10** cialde da gelateria

Per la mousse:
- **150 g** di ricotta fresca
- **1** cucchiaio di zucchero
- **1** limone non trattato
- **1** albume, sale

Per decorare:
- zucchero a velo

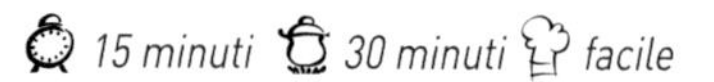

ciliegie al Porto con mousse di ricotta

Mettete in un pentolino il Porto, 1 cucchiaio di zucchero, la cannella e il succo d'arancia. Fate sobbollire per 5 minuti. Aggiungete le ciliegie e cuocete a fuoco basso per 2 minuti. Spegnete il fuoco e lasciate marinare per 10 minuti; scolate le ciliegie in un piatto. Riportate sul fuoco il pentolino con lo sciroppo di Porto e fate restringere. Setacciate la ricotta e montatela con lo zucchero rimasto e aggiungete la scorza del limone grattugiata. Montate anche l'albume a neve con un pizzico di sale e incorporatelo al composto di ricotta. Lasciate riposare in frigorifero per circa 20 minuti. Preparate le coppe disponendo sul fondo le cialde spezzettate, irrorate con 1 cucchiaio di Porto ristretto e coprite con le ciliegie. Versate 2 cucchiai di mousse e terminate ancora con le ciliegie, poco ristretto, qualche cialda e zucchero a velo.

Una curiosità

Il Porto, o vino di Porto, è un vino liquoroso portoghese, prodotto nella valle del Douro. Nel mondo, oggi, si producono altri vini simili al Porto (talvolta anche nel nome), tuttavia il vero vino di Porto ha caratteristiche uniche.

Vino e donne,
risa e allegria: oggi.
Prediche e acqua di selz:
domani

George Gordon Byron
(1788-1824) • poeta

Caro lettore,

per concludere abbiamo voluto fornirti una nostra personalissima e soggettiva "guida" per la degustazione di alcuni vini che, a nostro parere, meritano un assaggio.
Nella pagina a fianco troverai un'improbabile "top five" dei vini del mondo (improbabile perché ogni "classifica" inevitabilmente riassume e non dice tutto), mentre nelle pagine seguenti una breve lista di giovani produttori e di un loro vino che abbiamo voluto segnalarti. Ci teniamo a dirti che questa non è "pubblicità", in quanto non abbiamo chiesto né denaro né bottiglie alle cantine segnalate, che ci hanno invece stupito per genuinità e capacità. Per questo, e solo per questo, te li consigliamo.

La "Top Five"

- Tenuta Il Greppo Biondi Santi
  Brunello di Montalcino
- Gaja
  Sorì San Lorenzo
- Château Cheval Blanc
  Château Cheval Blanc
- Château Latour
  Château Latour
- Domaine de La Romanée Conti
  Romanée Conti

Grandi vini di piccole cantine...

- Giacomo Borgogno
  Barolo Riserva
- Bussia Soprana
  Barolo Colonnello
- Az. Vinicola Cappellano
  Barolo Cappellano
- Poderi Aldo Conterno
  Barolo Cicala
- Az. Agricola G.D. Vajra
  Barolo Bricco delle Viole
- Bruno Giacosa
  Barbaresco Santo Stefano
- Barolo Mascarello
  Barolo
- Giuseppe Rinaldi
  Barolo Brunate Le Coste

- Luciano Sandrone
  Barolo Cannubi Boschis
- Az. Agricola Vigna Rionda
  Barolo Riserva Vigna Rionda
- Falkenstein Franz Pratzner
  Val Venosta Riesling Renano
- Tenuta Manincor
  Lieben Aich
- Muri Gries
  Lagrein Dunkel Riserva
- Pojer e Sandri
  Val di Cembra Besler Biank
- Eugenio Rosi
  Esegesi Trentino Rosso
- Weingut Stroblhof Fam. Hanny
  Pinot Bianco Strahler
- Cantina Terlano
  Gewürztraminer Lunare
- La Biancara
  I Masieri

- Corte Sant'Alda
  Amarone
- Quintarelli
  Alzero Cabernet
- Borgo del Tiglio
  Malvasia Selezione
- Gravner
  Ribolla Anfora
- Edi Kante
  Carso Malvasia Istriana
- Miani
  Merlot
- Az. Agricola Radikon
  Oslavje
- Ciacci Piccolomini d'Aragona
  Rosso di Montalcino
- Az. Agricola Cupano
  Brunello di Montalcino
- Az. Agricola Le Macchiole
  Messorio

- Montevertine
  Le Pergole Torte

- Fattoria S. Giusto a Rentennano
  Percarlo

- Paolo Bea
  Sagrantino di Montefalco

- Valentini
  Trebbiano d'Abruzzo

- Castorina
  Le Moire Etna Bianco

- Tenuta delle Terre Nere
  Calderara Sottana Etna Rosso

- I Vigneti di Salvo Foti
  Vinupetra

- Vini Biondi
  Etna Rosso Outis

- Altacutena
  Matteu

- Perdarubia
  Perda Rubia Rosso

Indice delle ricette

Le ricette si intendono per ***4 persone****,*
in caso contrario viene specificato

finito di stampare nel mese di maggio 2010
presso Leo Paper Products, Hong Kong, Cina